...SHE SHALL
BE CALLED
WOMAN,
BECAUSE SHE
WAS TAKEN
OUT OF MAN.
GENESIS 2:23
D1211110

THERE WENT IN TWO AND TWO UNTO
NOAH INTO THE ARK, THE MALE AND
THE FEMALE, AS GOD HAD
COMMANDED NOAH
GENESIS 7:9

BIBLE
MAZE CHALLENGE

Help the animals find Noah's Ark.

WORD SEARCH #1

Can you find all of the words hidden in the puzzle below.
Words can be down, across or diagonal.

F A O T T L E O A E X I L D B
C P R O M I S E L R G I L I P
Y M W A K V U O G D W D Z A P
C T N O A H O A P P L E A G I
U V Z O U I O R A E V E P G G
I S A M O X J A Q L O V E F F
H T E Q K H U V H F V M Y W B
A O J R A H V E J U H K C S A
G R F D P Y O N Y R R R T W O
T A Q U A E L A E O A J Q B A
J I B A D E N Z X B I T E M N
J N E F A T N T C S N E T E H
A B A C M Q Q D J R I C D G E
D O G Y U Q S K T A W E I Z A
E W F Y M E B Z X I A R K G V

WORDS TO FIND:

- RAINBOW
- PROMISE
- SERPENT
- RAVEN
- LOVE
- EDEN
- NOAH
- RAIN
- ARK
- APPLE
- ADAM
- EVE

AND GOD SPAKE ALL THESE
WORDS, SAYING, I AM THE LORD
THY GOD...
EXODUS 20:1-2

BIBLE
WORD SEARCH #2

Can you find all of the words hidden in the puzzle below.
Words can be down, across or diagonal.

Y	I	F	H	G	R	D	R	L	J	U	P	S	O	V
C	E	I	X	F	L	O	O	D	A	O	Q	L	Z	P
R	W	W	M	T	T	O	M	B	F	E	Z	I	Y	Z
O	Z	O	L	F	V	N	U	M	U	B	L	N	G	B
S	O	M	Z	Y	V	M	A	N	G	E	R	G	O	U
T	Y	A	C	L	C	H	A	E	C	H	W	S	L	E
O	O	N	T	W	N	M	L	Z	N	A	S	S	I	P
N	A	T	H	L	K	B	O	W	D	E	H	I	A	E
E	E	U	E	J	I	A	Z	M	P	G	E	F	T	R
V	L	G	U	B	H	T	E	A	D	L	P	D	H	A
V	N	J	M	E	K	O	Y	D	J	K	H	L	I	O
A	I	C	A	H	N	V	I	J	O	M	E	T	S	J
J	T	J	N	F	E	L	J	Y	I	K	R	B	N	C
W	D	A	V	I	D	X	F	V	A	N	D	X	W	S
B	J	P	I	H	S	R	A	R	G	Z	S	O	T	L

WORDS TO FIND:

- SHEPHERDS
- GOLIATH
- MANGER
- STONE
- DAVID
- SLING
- FLOOD
- ANGEL
- TOMB
- WOMAN
- BIBLE
- MAN

AND SAMSON TOOK HOLD OF THE
TWO MIDDLE PILLARS...
JUDGES 16:29

SO DAVID PREVAILED
OVER THE PHILISTINE
WITH A SLING AND
WITH A STONE...

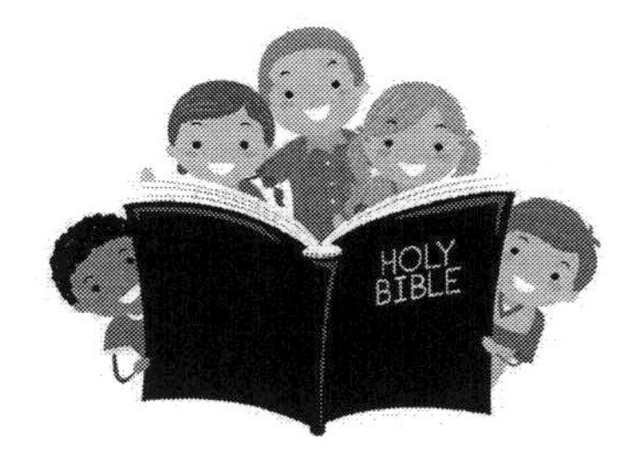

WORD SEARCH #3

Can you find all of the words hidden in the puzzle below.
Words can be down, across or diagonal.

I	P	A	V	A	U	G	J	J	H	I	L	D	X	O
N	E	G	P	N	U	I	N	O	Q	G	V	E	C	A
O	M	G	Q	R	A	A	T	J	N	M	Z	B	E	E
W	H	A	L	E	C	N	E	I	Z	A	H	O	G	P
L	S	T	T	R	O	T	A	U	W	D	H	O	Y	H
A	Z	E	A	S	T	E	R	S	D	M	A	L	P	U
Q	M	F	H	O	F	S	E	A	R	A	H	S	T	T
Y	O	E	W	L	O	S	U	C	E	U	Z	A	A	Y
O	J	R	N	B	O	Y	F	Y	Y	X	Q	A	Y	P
Z	R	T	A	M	D	P	R	D	P	D	A	T	D	R
G	C	Z	A	R	A	A	U	J	T	Y	Y	J	N	A
A	U	K	V	E	M	I	L	O	R	D	Z	H	Y	Y
V	H	I	Y	W	Z	Y	K	E	W	Q	Z	E	N	I
S	I	N	L	A	T	X	N	A	D	L	C	V	N	M
Q	J	G	P	Z	J	A	R	F	A	T	H	E	R	R

WORDS TO FIND:

- FATHER
- EASTER
- KING
- AMEN
- LORD
- MARY
- MOSES
- EGYPT
- PRAY
- WHALE
- JONAH
- GIANT

THEN THE KING COMMANDED, AND THEY
BROUGHT DANIEL AND CAST HIM INTO

THEN JONAH PRAYED
UNTO THE LORD HIS
GOD OUT OF THE
FISH'S BELLY

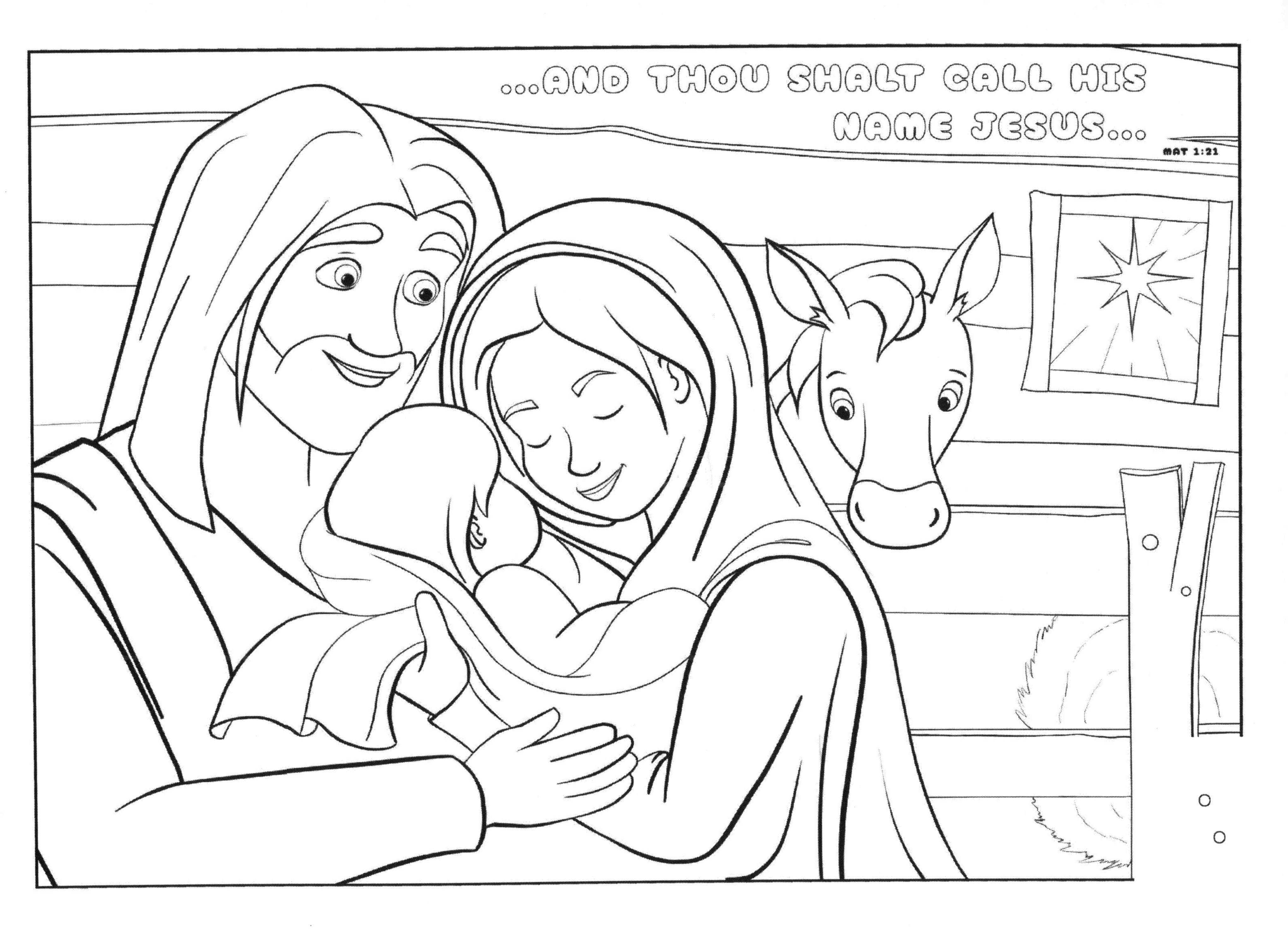
...AND THOU SHALT CALL HIS
NAME JESUS...
MAT 1:21

BIBLE

WORD SEARCH #4

Can you find all of the words hidden in the puzzle below.
Words can be down, across or diagonal.

U H Y M N E M V V V A V H A T
P M P O O T G A O A R A E M R
V D H F J L V E T T V D D D Z
I F X G E E I V K T S P I M F
D M F E E L I J A H H W A S Z
A E V J J D P R E J A E C Z F
F O O V O P C X C Q R T W A P
N C M V L H R R T O E G C U U
A M A O U O N T O O B X K E M
G A C K K I R S D S F D S P X
O R I U E L A M B G S A B J D
Z K T A I O O A D L A G U K Y
C J O S E P H M T R U S T P B
D T F U G E N E S I S L Q T W
O H S H E E P T X D B S W M M

WORDS TO FIND:

- MATTHEW
- GENESIS
- JOSEPH
- ELIJAH
- SHEEP
- TRUST
- MARK
- LUKE
- JOHN
- CROSS
- LAMB
- HYMN

FOR UNTO YOU
IS BORN THIS DAY
IN THE CITY OF DAVID
A SAVIOUR, WHICH IS
CHRIST THE LORD

BIBLE

MAZE CHALLENGE

Draw a path to help the little children get to jesus.

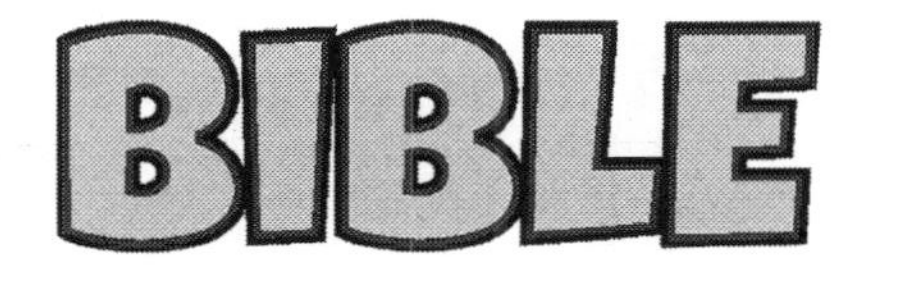

WORD SEARCH #5

Can you find all of the words hidden in the puzzle below.
Words can be down, across or diagonal.

E	E	A	H	W	A	Q	X	R	P	G	E	Y	I	S
B	L	E	S	S	I	N	G	S	C	E	C	O	Y	T
H	I	I	A	D	P	W	I	F	K	E	A	O	I	R
E	F	O	R	G	I	V	E	N	E	S	S	C	A	E
Y	T	G	R	A	C	E	I	H	D	W	V	O	E	N
W	P	Q	J	F	M	Q	A	M	H	A	W	P	V	G
I	I	D	G	V	M	A	E	T	H	I	Q	K	H	T
A	X	S	O	A	J	O	U	U	E	F	B	I	N	H
A	V	M	D	L	R	R	L	I	A	A	G	F	B	J
Z	N	F	R	O	T	G	I	T	V	I	A	O	K	X
E	P	P	A	C	M	O	G	A	E	T	I	N	V	N
U	S	Z	M	A	S	E	H	T	N	H	A	O	C	E
C	A	P	T	L	C	O	T	T	J	S	S	A	E	L
H	L	Y	K	J	J	I	U	H	T	Y	E	G	O	D
A	M	F	A	A	E	T	G	G	Y	A	B	P	X	E

WORDS TO FIND:

- FORGIVENESS
- BLESSINGS
- STRENGTH
- WISDOM
- TRUTH
- LIGHT
- GRACE
- PSALM
- PEACE
- HEAVEN
- FAITH
- GOD

Help Jesus get to the bread and fish.

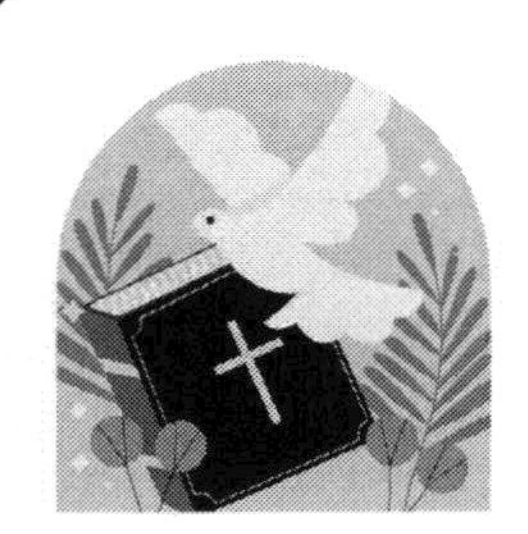

WORD SEARCH #6

Can you find all of the words hidden in the puzzle below.
Words can be down, across or diagonal.

U H P W A O Q I L T T C R O P
C B K A B X T C H K I T A F A
O S J T S E R M O N J Y T Z T
U R O E F A H A K F U J I K K
R I Y N V C N L H I D K R O C
A Y O U E Q E K U T A U I F U
G P A S S O V E R T S C S Y Q
E Z U M I R A C L E C Q E O C
U P S T A R Q D U A J T N A A
E I R E E R G F V O A V Y F E
S H J E A Y W T A D X N H E F
X O P Q A L J Z U N W I D L L
A L O E J C U A Y O B A J D E
I Y A O T O H O R G D L N F U
V T Q H A E B C Q L C H T L A

WORDS TO FIND:

- PASSOVER
- COURAGE
- MIRACLE
- CROWN
- HOLY
- JOY
- JUDAS
- PETE
- STAR
- SERMON
- PREACH
- RISEN

BIBLE
MAZE CHALLENGE

Help the boy find his way through the maze to a church.

Made in the USA
Columbia, SC
21 June 2023